Mon grand fr

Danielle Simard

Illustrations : Stéphane Jorisch

Directrice de collection : Denise Gaouette

Rat de bibliothèque

Données de catalogage avant publication (Canada)

Simard, Danielle, 1952-

Mon grand frère l'a dit!

(Rat de bibliothèque. Série jaune ; 2)
Pour enfants de 6-7 ans.

ISBN 978-2-7613-1328-5

I. Jorisch, Stéphane. II. Titre. III. Collection : Rat de bibliothèque (Saint-Laurent, Québec). Série jaune ; 2.

PS8587.I287M66 2002   jC843'.54   C2002-941177-7
PS9587.I287M66 2002
PZ23.S55Mo 2002

Dépôt légal : 3ᵉ trimestre 2002
Bibliothèque nationale du Québec
Bibliothèque nationale du Canada

IMPRIMÉ AU CANADA

14 15	EMP	21 20 19
10498		CM16

Mon grand frère a dit :
— Les moutons dorment avec des bigoudis.

Je l'ai dit à Noémie.
Elle a ri de moi.
Je ne sais pas pourquoi.

 4

Mon grand frère a dit :
—À minuit, Minou
  se change en loup-garou.

Je l'ai dit à Joé.
Il a rigolé.
Je ne sais pas pourquoi.

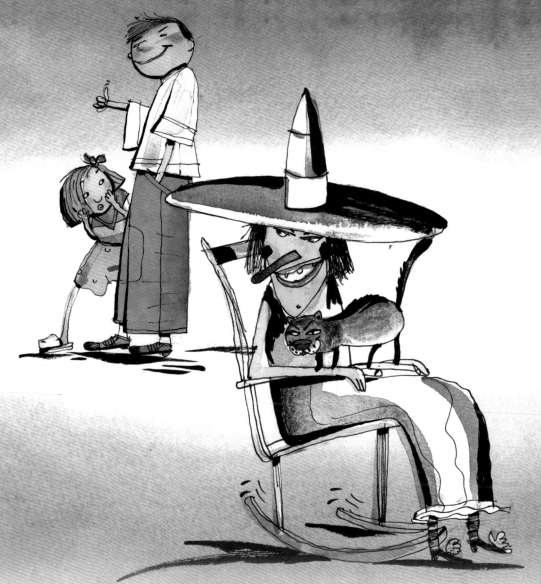

Mon grand frère a dit :
—Madame Larivière
   est une sorcière.

Je l'ai dit à Louis.
Il a ri de moi.
Je ne sais pas pourquoi.

Mon grand frère a dit :
—Si tu manges du poulet pour deux,
   tu vas pondre des oeufs.

Je l'ai dit à Zoé.
Elle a rigolé.
Encore une fois,
je ne sais pas pourquoi.

 10

Mon grand frère a dit :
—Il y a des lutins
  dans notre sapin.

Je l'ai dit à Benoît.
Il a ri de moi.
Je veux savoir pourquoi.

Mon grand frère a dit :
—Papa n'est pas notre vrai papa.
  Notre vrai papa est un roi.

Je l'ai dit à maman.
Elle a ri derrière ses doigts.
Puis, elle m'a dit pourquoi.

J'ai dit à mon grand frère :
—Quand les petites soeurs grandissent,
  les grands frères menteurs rapetissent.

Mon grand frère n'a pas ri.
Il savait très bien pourquoi
je lui disais cela.